Les plus beaux villages de Colombie

Le Fond National de Tourisme (Fontur) a désigné dix-sept communes de Colombie comme membres du « Réseau Touristique de Villages Patrimoine ». Ces centres urbains se distinguent par leur beauté architecturale, les paysages qui les entourent et leurs communautés qui respectent et conservent un héritage urbain.

Somos Editores Ltda, dont la spécialité est la publication de livres qui divulguent la beauté des régions du pays, présente ce nouveau livre « Les plus beaux villages de Colombie » dans lequel ils brossent un portrait des dix-sept communes qui, à ce jour, appartiennent au Réseau Touristique des Villages Patrimoine. Le lecteur pourra donc découvrir quelques-uns de ces villages et petites villes les plus beaux de Colombie et, grâce à des textes courts en espagnol, anglais et français, apprécier les caractéristiques de chacun d'entre eux.

Ce livre n'est pas seulement une découverte des plus beaux villages colombiens mais aussi l'occasion de pénétrer plus à fond dans leur géographie, leur histoire et leurs coutumes. C'est aussi une invitation au voyage dans ces régions et une raison de ne pas uniquement visiter les grandes villes, qui en général emportent les préférences, mais aussi les communes plus petites, pleines de charme, où le temps s'arrête dans les rues et, où vibre une Colombie plus authentique, plus tranquille et plus belle.

En 136 pages illustrées de photos en couleurs de belles constructions, de paysages et d'une population authentique, nous découvrons des villages en bord de mer ou des grands fleuves mais aussi des municipalités perchées sur des collines et montagnes en climat chaud, tempéré ou froid, entourées de champs verts ou de mystérieuses formations rocheuses, de constructions coloniales ou de style républicain. Ces destinations sont toutes différentes mais ont un dénominateur commun : bien conservées et, grâce à leur beauté, elles méritent une visite.

Santa Fe de Antioquia

Dirección editorial
Consuelo Mendoza
Sylvia Jaramillo
Emiro Aristizábal

Fotógrafos
Darío Eusse
Germán Montes
Manuel Varona
Joaquín Sarmiento
Armando Rojas
Javier Bernal
Olga Lucía Jordán
Antonio Castañeda
Viva la Stock
Carlos Jorge Vega

Diseño y diagramación
Enrique Franco

Textos
Olga Lucía Jaramillo

Corrección
César Tulio Puerta

Traducciones
Michael Sparrow
Brigitte Châteauneuf

Impresión
Panamericana Formas e Impresos S.A.

Más información
www.pueblospatrimoniodecolombia.com.co

ISBN 978-958-58529-1-4

Mompox

Monumento nacional por el estado de conservación de su centro histórico, y Patrimonio de la Humanidad por la UNESCO. Fundado en 1537, sobre una isla del río Magdalena, a 291 km de Cartagena, en el departamento de Bolívar. Izquierda: antiguo mercado.

Declared a National Monument because of the state of preservation of its historic centre, and a UNESCO World Heritage Site. Founded in 1537 on an island in the River Magdalena, 291 km. from Cartagena, in Bolívar province. Left: the former market.

Déclaré Monument National grâce à l'excellent état de conservation de son centre historique et Patrimoine de l'Humanité de l'UNESCO. Fondé en 1537, sur une île du Fleuve Magdalena, à 291 km de Carthagène, dans le département de Bolivar. A gauche : l'ancien marché.

Iglesia de Santa Bárbara, destacada por su historia, el color y la decoración interior y exterior. Allí comienza la celebración de la Semana Santa, el acontecimiento de más arraigo en la tradición local. Izquierda: interior de la iglesia de San Agustín.

Santa Barbara church, noted for its history, colour, and its interior and exterior decoration. This is where the Holy Week celebrations, the most deeply-rooted local tradition, begin. Left: the interior of San Agustín church.

Eglise Sainte Barbara célèbre par son histoire, sa couleur et sa décoration intérieure et extérieure. Ici, débutent les célébrations de la Semaine Sainte, l'événement local le plus traditionnel. A gauche : intérieur de l'église Saint-Augustin.

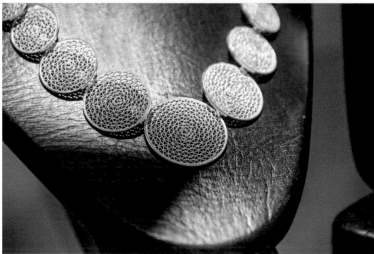

Estilo andaluz, orfebrería y vegetación exótica hacen de Mompox un lugar singular. Calles, obras coloniales, arte de la filigrana en oro y plata, ciénagas cercanas, están entre los planes para los viajeros. Mompox tiene 42.000 habs. y temperatura promedio de 32 °C (89 °F).

Andalucía style, goldwork and exotic vegetation make Mompox a remarkable place. Streets, colonial works, silver and gold filigree art and nearby marshes are but some of the visitor attractions. Mompox has 42,000 inhabitants and an average temperature of 32 °C (89°F).

Un style andalou, son orfévrerie et sa végétation exotique font de Mompox un lieu exceptionnel. Les visiteurs y découvreront ses rues, ses constructions coloniales, l' art du filigrane en or et en argent, des étangs voisins (ciénaga). 42 000 habitants et une température moyenne de 32 ºC (89 ºF).

Entre la flora tropical, casas, patios, solares, iglesias, torres y espadañas de templos y capillas en óptimo estado de conservación. La iglesia de San Francisco, de color granate, la más antigua de la ciudad, cerca de donde abre temprano el mercado ribereño. Abajo, entrada del cementerio.

Tropical flowers, houses, courtyards, mansions, churches, and towers and belfries on shrines and chapels, all perfectly preserved. Garnet-coloured San Francisco church, the oldest in the city, near where the riverside market opens early. To the left, the cementery entrance.

Au milieu de la flore tropicale, des maisons avec leurs cours intérieures, patios, églises, tours et clochers de temples et chapelles en excellent état de conservation. L' église Saint-François, couleur grenat, est la plus ancienne de la ville, près du marché riverain qui ouvre tôt le matin. À gauche : entrée du cimetière.

Lorica

Lorica, ubicado en las exuberantes tierras de Córdoba, está bañado por el río Sinú y la Ciénaga Grande del Bajo Sinú. Tiene 113.000 habitantes, gran parte de los cuales son de origen sirio-libanés. A 60 km de Montería, su temperatura promedio es de 30 °C (86 °F). Derecha: el Mercado Público, a orillas del Sinú.

Lorica, in the lush lowlands of Córdoba and washed by the River Sinú and the Lower Sinú Great Salt Marsh, has 113,000 inhabitants, mostly of Syrian-Lebanese descent. It is 60 km. from Montería and has an average temperature of 30 °C (86°F). Right: the Public Market, on the banks of the Sinú.

Dans l' exubérante région de Córdoba, au bord du fleuve Sinú et la Grande Ciénaga du bas Sinú. 113 000 habitants, la plupart d' origine sirio-libanaise. A 60 km de Montería. Température moyenne: 30 ºC (86 ºF). A droite : le Marché Public, sur les rives du Sinú.

Con la red ferroviaria del siglo XX y la actual red de carreteras, el río dejó de ser el más importante medio de comunicación. De ahí que el Mercado, que es monumento nacional, pasó a ser un lugar de venta de artesanías, comida, aliños y especias.

The 20th century railway system and today's road network have meant that the river is no longer the most important means of communication. Hence the Market, which is a National Monument, has become a place where handicrafts, food, seasonings and spices are sold.

Le réseau ferroviaire du XXème siècle et les routes actuelles ont enlevé au fleuve son rôle de moyen de transport le plus important. En conséquence, le Marché, déclaré Monument National, est devenu un lieu de vente d'artisanat, de restaurants et de vente d'épices.

El puente 20 de Julio, construido en 1910, sobre el caño Chimalito. Tiene una estructura de 14 arcos. El acceso peatonal se hace por dos bellos pórticos republicanos.

14-arch '20 July Bridge', built in 1910, crosses Chimalito stream. Pedestrian access is via two beautiful republican porticoes.

Le Pont du 20 juillet, construit en 1910, sur la rivière Chimalito. Sa structure comporte 14 arches, l' accès piétonnier se fait par deux beaux portiques de style républicain.

Estilos caribeño, republicano y sirio-libanés, aportan columnas, arcos, filigrana de cemento, frisos decorados y áticos con balaustradas. Izquierda: el Palacio Municipal, conocido como el Palacio de las Trece Columnas. Arriba: edificio Alife Matuk, de estilo sirio-libanés.

Caribbean, republican and Syrian-Lebanese styles, with columns, arches, cement filigree, decorated friezes and attics with balustrades. Left: the Municipal Palace, known as the Palace of Thirteen Columns. Above: Syrian-Lebanese style Alife Matuk building.

Styles caribéen, républicain et sirio-libanais : colonnes, arches, filigranes en ciment, frises décorées et greniers avec balustrades. A gauche: Le Palais Municipal, appelé Le Palais des Treize Colonnes. En haut : Edifice Alife Matuk, de style sirio-libanais.

Ciénaga

A orillas del Caribe, cerca de la Sierra Nevada de Santa Marta, en el departamento del Magdalena. En la batalla de Ciénaga (1820) se consolidó el dominio patriota en la costa caribe. Izquierda: Templete Municipal en el Parque Centenario; al fondo: iglesia de San Juan Bautista.

On the Caribbean coast near to the Sierra Nevada Santa Marta, in Magdalena province. The Battle of Ciénaga (1820) consolidated the patriots' control of the Caribbean coast. Left: Municipal Bandstand in Centenary Park, with St. John the Baptist church in the background.

Au bord des Caraïbes, près de la Sierra Nevada de Santa Marta (montagnes enneigées), dans le département du Magdalena. Grâce à la Bataille de Ciénaga en 1820, la domination des patriotes se consolide sur la côte des Caraïbes. A gauche : Pavillon Municipal dans le Parc du Centenaire, au fond: eglise de Saint-Jean Baptiste.

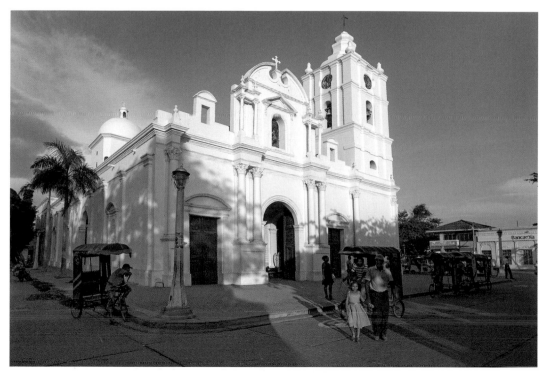

En pleno corazón de la zona bananera, a 35 km de Santa Marta, Ciénaga cuenta con 102.000 habitantes, y temperatura promedio de 30 °C (86°F). Izquierda: el Palacio Municipal, de arquitectura republicana. Arriba: la iglesia de San Juan Bautista, del siglo XVIII.

In the heart of the banana zone 35 km. from Santa Marta, Ciénaga has 102,000 inhabitants and an average temperature of 30°C (86°F). Left: the Municipal Palace, with its republican architecture. Above: 18th century St. John the Baptist church.

En plein cœur de la zone bananière, à 35 km de Santa Marta, Ciénaga compte 102 000 habitants. Température moyenne: 30 °C (86ºF). A gauche: l' église de Saint-Jean Baptiste datant du XVIIIème siècle.

Por su trazado urbano y su arquitectura, el centro histórico fue declarado Bien de Interés Cultural de carácter nacional. Derecha: sede neoclásica de la logia masónica Benjamín Herrera; exhibe símbolos y textos en relieve acordes con su identidad.

Due to its urban design and architecture, the historic centre has been declared a National Site of Cultural Interest. Right: neoclassical headquarters of Benjamín Herrera Masonic Lodge, with symbols and embossed texts relating to its identity.

Grâce à ses lignes urbaines et son architecture, le centre historique a été déclaré Bien d'intérêt Culturel National. À droite: siège néoclassique de la Loge Masonique Benjamin Herrera. Y sont exposés des symboles et textes en relief sur son histoire.

Barichara

Ubicado sobre una meseta, en el departamento de Santander, al borde del cañón del río Suárez. Un lugar de piedra, ladrillo, tapias pisadas y techos viejos en teja de barro. Fundado en 1751, a 300 km de Bogotá y 191 de Bucaramanga. Tiene 7.063 habs., y clima cálido y seco de 23 °C (73°F).

Stands on a plateau on the edge of the River Suárez canyon, in Santander province. A town of stone, brick, rammed earth and old, clay-tiled roofs. Founded in 1751, 300 km. from Bogotá and 191 km. from Bucaramanga. It has 7,063 inhabitants, a warm, dry climate and an average temperature of 23 °C (73 °F).

Situé sur un plateau dans le département de Santander, au bord d' un cañon du fleuve Suárez. On y trouve de la pierre, de la brique, des murs d' argile et des toits anciens de tuiles en terre cuite. Fondé en 1751, à 300 km de Bogotá et 191 km de Bucaramanga. 7063 habitants. Climat chaud et sec. Température moyenne 23ºC (73ºF)

Sus construcciones exhiben el trabajo de los talladores de roca que moldearon el pueblo. En el costado norte de la plaza principal está el templo de la Inmaculada Concepción y San Lorenzo Mártir, una obra única, sostenida por 10 columnas monolíticas.

Its buildings display the work of the rock carvers who shaped the town. On the northern side of the main square is the church of the Immaculate Conception and St. Laurence Martyr, a unique work resting on ten monolithic columns.

Ses constructions montrent le travail des tailleurs de pierre qui ont façonné le village. Sur le côté nord de la place principale se trouve l'église de l'Immaculée Conception et Saint-Laurent martyr. Une œuvre unique, soutenue par dix colonnes monolithiques.

29

Zócalos, aleros, techos inclinados, patios y solares; artesanías, hoteles *boutique*, históricas iglesias; verde y ocre, lo convierten en el pueblo más lindo de Colombia. Izquierda: interior del templo de la Inmaculada Concepción y San Lorenzo Mártir.

Eaves, sloping roofs, courtyards and old houses, handicrafts, boutique hotels and historic churches, green and ochre, combine to make this the prettiest town in Colombia. Left: interior of the church of the Immaculate Conception and St. Laurence Martyr.

Soubassements, auvents, toits en pente, cours intérieures, artisanat, hotels boutiques, églises anciennes; les couleurs verte et ocre jaune en font le village le plus beau de Colombie. A gauche : intérieur de l'église de l'Immaculée Conception et Saint-Laurent Martyr.

La capilla de Santa Bárbara, situada en la parte alta del pueblo. Frente a este templo del siglo XVIII se levantan las esculturas de la cruz y de los bueyes. Lugar para observar las hileras de techos, que parecen extenderse en dirección a las montañas.

18th century Santa Bárbara Chapel, in the upper part of the town. Opposite it are sculptures of the cross and of oxen. Perfect spot to observe the rooflines, which seem to stretch towards the mountains.

La chapelle de Sainte Barbara, construite sur la partie élevée du village. En face de cette église du XVIIIéme siècle, s' érigent les sculptures de la croix et des bœufs. On peut y observer les rangées de toits qui semblent se prolonger jusqu'à la montagne.

Barichara SANTANDER

Especial para fotografiar calles forradas en piedras de color arcilloso, plazas llenas de árboles y fachadas de tapia pisada. Además, cuenta con un mirador para apreciar el cañón del río Suárez, en el que se practica *rafting*. Cerca, puede visitar Guane, lugar paleontológico y arqueológico.

Ideal for photographing streets lined with clay-coloured stone, squares full of trees and rammed earth façades. There is also a viewpoint, to marvel at the River Suárez canyon, where you can go rafting. Nearby, you can visit Guane, a paleontological and archaeological site.

Endroit idéal pour photographier les rues pavées de pierre, les places aux nombreux arbres et façades de murs d' argile. Du mirador, on appréciera le cañon du fleuve Suarez dans lequel on peut pratiquer le rafting. Tout près, on peut visiter Guane, site paléontologique et archéologique.

Socorro

Fundado (1681) en una pendiente montañosa del departamento de Santander. Es patrimonio por su arquitectura e influencia en la historia colombiana; su centro histórico es monumento nacional. Con 30.577 habitantes a 121 km de Bucaramanga y 278 de Bogotá; temperatura promedio: 24 °C (75°F).

Founded in 1681 on a mountainside in Santander province. A heritage site because of its architecture and its influence on Colombian history: its historic centre is a National Monument. It has 30,577 inhabitants and is 121 km. from Bucaramanga and 278 km. from Bogotá; its a average temperature is 24 °C (75°F).

Fondé en 1681 sur un versant montagneux du département de Santander. Déclaré Patrimoine grâce à son architecture et importance dans l' histoire de la Colombie. Son centre historique a été déclaré Monument National. 30.577 habitants. A 121 km de Bucaramanga et 278 km de Bogotá. Température moyenne : 24 ºC (75ºF).

Socorro SANTANDER

Catedral Nuestra Señora del Socorro, con pisos de mármol, vitrales barrocos, lámparas de cristal de cuarzo y columnas toscanas. Frente al templo, la estatua de Antonia Santos, heroína de la Independencia, fusilada por los españoles el 28 de julio de 1819.
A la izquierda, estatua del héroe colombiano José Antonio Galán.

Cathedral of Our Lady of El Socorro, with marble floors, baroque stained-glass windows, quartz crystal lamps and Tuscan columns. Opposite is the statue of independence heroine Antonia Santos, shot by the Spaniards on 28 July 1819. Left , Jose Antonio Galan sculpture, colombian hero.

La Cathédrale Notre Dame du Secours, sols en marbre, vitraux baroques, lampes de cristal de quartz et colonnes style toscan. En face du temple, la statue de Antonia Santos, héroine de l' Indépendance, fusillée par les espagnols le 28 juillet 1819. À gauche, héros colombien José Antonio Galán.

La Casa de la Cultura, el más notorio recinto colonial del Socorro. Combinado con el estilo republicano, es muestra del juego de techos y mezcla de materiales. Guarda recuerdos del Libertador Simón Bolívar, cerámicas y tejidos guanes y un archivo fotográfico de la historia de la ciudad.

The House of Culture, the most notable colonial corner of Socorro. Combined with republican style, it is a fine example of varying rooflines and mixed materials. Holds memories of Liberator Simón Bolívar and contains Guane pottery and textiles, and a photographic archive of the city's history.

La Maison de la Culture, le joyau colonial le plus remarquable du Socorro. Allié au style républicain, est une réussite de la juxtaposition des toits et mélange de matériaux. Abrite des souvenirs du Libertador Simon Bolivar, des céramiques et tissages du peuple indigène Guane et un archive photographique de l' histoire de la ville.

Convento de los capuchinos, el primero de esta congregación en América, construido en 1786, en lo más alto del casco urbano. Allí se firmó en 1810, la primera acta de Independencia que se redactó en la Nueva Granada. Hoy es una de las sedes de la Universidad Industrial de Santander.

Capuchin monastery, the first of its kind in the Americas, built in 1786 at the highest point in the town. It was there that the first Declaration of Independence in Nueva Granada was signed, in 1810. Today it is part of the Industrial University of Santander.

Le Couvent des Capucins, premier de cette congrégation en Amérique. Construit en 1786 tout en haut de la commune. Ici a été signé en 1810 le premier acte d' Indépendance rédigé en Nouvelle Grenade. Aujourd'hui, un des sièges de l' Université Industrielle de Santander.

Girón

Fundado en 1629 a orillas del río de Oro, en el departamento de Santander. Conserva la riqueza urbana colonial. Su centro histórico es monumento nacional. En la basílica menor San Juan Bautista reposa la imagen del Señor de los Milagros.

Founded in 1629 on the banks of the Rio de Oro, in Santander province. It retains its colonial urban riches. The historic centre is a National Monument. The image of the Lord of Miracles is in St. John the Baptist Basilica.

Fondé en 1629, sur les rives du fleuve Sogamoso, dans le département de Santander. Conserve sa richesse urbaine coloniale. Son centre historique a été déclaré Monument National. A l'intérieur de la Basilique Saint Jean-Baptiste, repose l'image du Seigneur des Miracles.

Casas de los siglos XVI, XVII y XVIII, con balcones amplios, puertas y ventanas cafés y grandes paredes blancas. A 7 km de Bucaramanga y 413 de Bogotá, tiene 136.000 habs y temperatura de 24 °C (75 °F). Izquierda: interior de la basílica menor San Juan Bautista.

16th, 17th and 18th century houses with large balconies, brown doors and window frames, and big white walls. 7 km. from Bucaramanga and 413 km. from Bogotá, it has 136,000 inhabitants and an average temperature of 24 °C (75 °F). Left: St. John the Baptist Basilica.

Maisons du XVIéme, XVIIéme et XVIIIéme siècles, aux larges balcons, portes et fenêtres couleur marron avec de grands murs blancs. A 7 km de Bucaramanga et 413 km de Bogotá. 136 000 habitants. Température moyenne: 24 ºC (75 ºF). A gauche : intérieur de la Basilique Saint-Jean Baptiste.

Las vías en Girón son empedradas, con seis puentes de calicanto, perfectamente conservados, sobre la quebrada Las Nieves. Las viviendas, en su mayoría, son de un piso. Derecha: fachada ganadora del concurso Casonas, Balcones y Fachadas.

The streets of Girón are cobbled, and there are six masonry bridges, all perfectly preserved, over Las Nieves stream. Most houses are single storey. Right: façade that won the Mansions, Balconies and Façades contest.

Les rues de Girón sont pavées. Il y a six ponts en pierre à nu et en parfait état de conservation sur la rivière Les Neiges. Les maisons, pour la plupart sont de plain-pied. A droite : façade premier prix du concours Maisons, Balcons et Façades.

Playa de Belén

Desde lo alto, Playa de Belén es un conjunto de techos mezclados con árboles. Ubicada en Norte de Santander, es Bien de Interés Cultural, Monumento y Patrimonio Nacional, por la preservación del estilo colonial. Data de 1862; a 222 km de Cúcuta, con 8.400 habs. y temperatura de 21°C (70 °F).

Viewed from above, Playa de Belén, in Norte de Santander province, is a mixture of roofs and trees. It has been declared a Site of Cultural Interest and a National Heritage Monument for its preserved colonial style. It dates from 1862, is 222 km. from Cúcuta, and has 8,400 inhabitants and an average temperature of 21 °C (70 °F).

Vue d' en haut, plage de Belén est un ensemble de toits et d' arbres. Site d' intérêt culturel dans le Nord de Santander, Monument et Patrimoine National grâce à la préservation de son style colonial. A 222 km de Cúcuta. 8 400 habitants. Température moyenne: 21 °C (70 °F).

Playa de Belén está a lado y lado de los estoraques, figuras naturales de piedra rojiza, de gran tamaño e inusual forma, talladas durante años por la erosión. En el interior, un sinfín de columnas de aspecto fantástico, así como fosas, colinas y quebradas.

Playa de Belén stands either side of los estoraques, which are large, unusually-shaped natural figures in reddish stone, carved over the years by erosion. Inside, a maze of fantastic-looking columns, as well as ditches, hills and streams.

Place de Belén se trouve de chaque côté des « estoraques», figures naturelles en pierre rougeâtre, de taille imposante et formes surprenantes, taillées par l'érosion au cours du temps. A l'intérieur : des colonnes à l'infini, à l'aspect fantastique, de même que ces fosses, collines et rivières.

Casas y edificaciones de estilo colonial, aunque no son de esa época. Las fachadas tienen el mismo color: muros blancos, puertas marrones y zócalos rojos. Toda construcción debe cumplir estos parámetros.

Colonial-style houses and buildings, although they do not date from that era. Façades are the same colour: white walls, brown doors and red bases. Every building must meet these parameters.

Maisons et immeubles de style colonial bien qu'ils ne datent pas de l' époque. Les façades ont les mêmes couleurs : murs blancs, portes marron et sous-bassements rouges. Toute construction doit respecter ces paramètres.

Villa de Leyva

Villa de Leyva es historia, desierto, olivos, fósiles; artesanías, cocina; conventos, iglesias y monasterios. Fundado en 1572, en territorio de los muiscas, en el departamento de Boyacá. Con 12.000 habs., a 37 km de Tunja y 169 km de Bogotá, tiene una temperatura de 18 °C (64 °F).

Villa de Leyva is history, desert, olives, fossils, handicrafts, cuisine, convents, monasteries and churches. Founded in 1572 in Muisca territory, in Boyacá province. It has 12,000 inhabitants, is 37 km. from Tunja and 169 km. from Bogotá, and has an average temperature of 18 °C (64 °F).

Villa de Leyva est à la fois histoire, désert, oliviers, fossiles, artisanat, cuisine, couvents, églises et monastères. Fondé en 1572, sur le territoire muisca (peuple indigène), dans le département de Boyacá. 12 000 habitants. A 37 km de Tunja et 169 km de Bogotá. Température moyenne : 18 °C (64 °F).

La Plaza Mayor, del período colonial de la Nueva Granada, con 1.400 m², es la más grande del país. La preside la iglesia Nuestra Señora del Rosario, de sencilla fachada y torre castellana. En los costados hay variada artesanía: cestería, cerámica, madera, lana, entre otros.

The 1,400m² main square, which dates from the Nueva Granada colonial era, is the biggest in the country. It is presided over by Our Lady of the Rosary church, which has a simple façade and a Castilian tower. Either side are various handicraft options: basketwork, pottery, wood, wool, etc.

La Place Principale date de l'époque coloniale de la Nouvelle Grenade. Sa superficie est de 1 400 m², la plus grande du pays. Sur un côté se distingue l'église Notre Dame du Rosaire, à la façade dépouillée et clocher castillan. Tout autour, on trouve des boutiques d'artisanat, de vannerie, céramique, bois et laine.

El altar principal de la iglesia de Nuestra Señora del Rosario, cubierto en oro, contrasta con la sencillez de la construcción en tapia y otros materiales de la época. Arriba: fachada de la iglesia Nuestra Señora del Carmen.

The main altar in Our Lady of the Rosary church, coated in gold, contrasts with the simplicity of the building, made of adobe and other materials of the time. Above: façade of Our Lady of Carmen church.

L'autel principal de l'église de Notre Dame du Rosaire, recouvert d'or, contraste avec la simplicité de ses murs et matériaux de l'époque. En haut : façade de l'église Notre Dame du Carmen

Villa de Leyva BOYACÁ

Calles estrechas, recodos, museos, tiendas, restaurantes, tapias y ventanas con veraneras. Cerca: poblaciones, monasterios, museos y zonas arqueológicas y paleontológicas. Son tradicionales sus festivales: del Viento y las Cometas, de las Luces, Astronomía, y Jazz.

Narrow streets, museums, shops, restaurants, adobe, and windows with bougainvillea. Nearby are villages, monasteries, museums and archaeological and paleontological areas. Its festivals are traditional: Wind and Kites, Lights, Astronomy, and Jazz.

Rues étroites, recoins, musées, boutiques, restaurants, murs et fenêtres ornées d' orquidées. Aux alentours : villages, monastères, musées, zones archéologiques et paléontologiques. Ses festivals sont renommés: Cerf-volants, Lumières et jazz.

Monguí

Como otros pueblos de la Colonia, se creó
para reunir en un lugar a los indígenas, vigilarlos,
adoctrinarlos y asegurar que pagaran los tributos
a la Corona. Fundado en 1601, a 93 km
de Tunja y 191 de Bogotá; 5.000 habitantes, y una
temperatura de 12 °C (53 °F).

**Like other villages in the colonial era, it was built
to bring the indians together in one place, watch
over them, indoctrinate them, and ensure they
paid their taxes to the Crown. Founded in 1601,
it is 93 km. from Tunja and 191 km. from Bogotá,
and has 5,000 inhabitants and an average
temperature of 12 °C (53 °F).**

*Comme d'autres villages de l'époque coloniale, il
a été fondé en 1601 afin de réunir en un seul lieu les
indigènes pour les surveiller, les endocriner et s'assurer
qu'ils payaient un impôt à la Couronne. A 93 km de
Tunja et 191 de Bogotá. 5 000 habitants. Température
moyenne : 12 °C (53 °F).*

El puente Real de calicanto, sobre el río Morro, aseguraba el camino a los Llanos Orientales y el traslado de la piedra para construir el convento y la iglesia, hoy basílica menor. Por razones de conservación, es solo de uso peatonal.

The masonry Royal Bridge over the River Morro marked the trail to the eastern Plains and ensured that stone could be transported for building the convent and the church, today a basilica. For preservation reasons, it is for pedestrian use only.

Le Pont Royal, en pierre à nu sur la rivière Morro, assurait la route vers les Plaines Orientales et le transport de la pierre pour construire le couvent et l' église, aujourd'hui petite basilique. Pour des raisons de conservation, le village est piétonnier.

Monguí, Patrimonio Nacional y el pueblo más lindo de Boyacá, cuenta con producción lanar; de cárnicos y lácteos de cordero; balones y productos de caucho; talla de madera y hojillado de oro, toda en manos de campesinos. Derecha: iglesia de San Antonio.

Monguí, a National Heritage Site and the prettiest village in Boyacá, produces wool, lamb, dairy produce, footballs and rubber articles, wood carvings and gold leaf, all by country folk. Right: San Antonio church.

Mongui, Patrimoine National est le village le plus beau de Boyacá. La production d'articles en laine, viandes et produits laitiers, ballons et articles en caoutchouc, taille du bois et dorure à la feuille est réalisée par ses habitants. A droite : église de Saint-Antoine.

En el centro del retablo mayor de la basílica se encuentra el histórico lienzo de la Virgen de Monguí. A lo largo de las naves se aprecian cuadros del pintor neogranadino Gregorio Vásquez de Arce y Ceballos (1638-1711). Izquierda: juego de techos de la basílica.

In the centre of the basilica's main altarpiece is the historic painting of the Virgin of Monguí. Works by Nueva Granada painter Gregorio Vásquez de Arce y Ceballos (1638 - 1711) can be seen along the naves. Left: Rooflines on the basilica.

Au milieu du rétable principal de la basilique, se trouve la célèbre peinture de la Vierge de Mongui. Le long des nefs, on peut apprécier des toiles de l'artiste néo-grenadin Gregorio Vasquez de Arce y Ceballos (1638-1711). A gauche: ensemble des toits de la basilique.

Al lado de la basílica, el convento franciscano, construido en 1718. En el interior de ambos se advierte la intervención indígena o "mestizaje de las artes", con sus colores regionales, flores y frutos típicos. Arriba: el frío hace cotidiano el uso de la ruana.

Next to the basilica is the Franciscan monastery, built in 1718. Inside both, indigenous interventions or 'art mestizo processes' can be seen, with regional colours and typical flowers and fruit. Above: Due to the cold, the poncho is part of daily life.

A côté de la basilique se trouve le couvent franciscain construit en 1718. A l' intérieur des deux constructions, on remarquera la trace de la main indigène ou « métissage des arts », avec ses couleurs vives, fleurs et fruits exotiques. En haut : le froid rend l' usage de la ruana (poncho local) indispensable.

Guadas

Nació como escala en la vía que de Santafé de Bogotá conducía a Honda, buscando la salida al río Magdalena. El nombre deriva de la guadua, especie de bambú, que abunda en su entorno. Famoso, por ser cuna de Policarpa Salavarrieta, colaboradora de los independentistas, que fue prisionera y ejecutada en 1817.

Originally a stopping-off point on the road from Santafé de Bogotá to Honda and the River Magdalena. The name comes from the word guadua, a species of bamboo that is abundant in the area. Famous as the birthplace of independence movement heroine Policarpa Salavarrieta, who was captured and executed in 1817.

Escale sur la route de Santafé de Bogotá à Honda, près du fleuve Magdalena. Son nom vient de la plante «guadua», variété de bambou, répandue dans la région. Célèbre pour être la ville d'origine de Policarpa Salavarietta, héroïne de l'Indépendance, arrêtée et exécutée en 1817.

Guaduas CUNDINAMARCA

Fundado en 1610, su centro histórico es monumento nacional. Resulta atractivo recorrer las calles coloniales, entrar a sus zaguanes y patios. A 117 km de Bogotá, en el departamento de Cundinamarca, la población cuenta con 32.000 habs. y una temperatura de 24 °C (75 °F).

Founded in 1610, its historic centre is a National Monument. Wandering around its colonial streets and its hallways and courtyards is very enjoyable. 117 km. from Bogotá, in Cundinamarca province, the town has 32,000 inhabitants and an average temperature of 24 °C (75 °F).

Son centre historique a été déclaré Monument National. Il est agréable de flâner dans ses rues coloniales, de rentrer dans les cours intérieures des maisons. A 117 km de Bogotá, département de Cundinamarca. 32 000 habitants. Température moyenne : 24 °C (75°F).

Honda

Nació en 1622 como desembarcadero del río Magdalena, en el departamento del Tolima. Se convirtió en "la Garganta del Reino", ya que todas las actividades de comunicación, comercio y pasajeros pasaban por allí. A 92 km de Ibagué y a 142 de Bogotá. Temperatura: 33 °C (91 °F).

Dates back to 1622, when it was a disembarkation point on the River Magdalena, in Tolima province. It became 'The Throat of the Kingdom', since all communications, trade and passengers passed through it. 92 km. from Ibagué and 142 km. from Bogotá, it has an average temperature of 33 °C (91 °F).

Port sur le fleuve Magdalena, département du Tolima. Converti en « gorge du Royaume » pour être un lieu de passage pour les voyageurs, le commerce et communications. A 92 km d'Ibagué et à 142 km de Bogotá. Température moyenne : 33 °C (91 °F).

La Alcaldía, en la Plaza de las Américas, llamada así porque llegaban viajeros y comerciantes de diversas partes del mundo de paso hacia otro lugar. Izquierda: la Catedral Nuestra Señora del Rosario, de mediados del siglo XVII, obra financiada con los peajes sobre el río.

City Hall, on Americas Square, so-called because travellers and traders from various parts of the world passed through it. Left: Our Lady of the Rosary Cathedral, built in the mid-17th century and financed from river tolls.

La mairie, sur la place des Amériques, appelée ainsi car y arrivaient des voyageurs et commerçants de différentes parties du monde, de passage vers d'autres destinations. A gauche : la Cathédrale Notre Dame du Rosaire datant du milieu du XVIIémesiècle, financée par les péages du fleuve.

La calle de las Trampas, en el centro histórico, de topografía sinuosa y en zigzag, con piso totalmente de piedra, al estilo andaluz. Allí nacen y mueren varias cuestas y callejones.

Winding, zigzag Las Trampas Street in the historic centre, paved entirely in stone, Andalucía style. Numerous alleys and slopes branch off it.

La rue des Trampas (pièges) dans le centre historique, en zig-zag, entièrement pavée, de style andalou. Ici commencent et terminent des rues en pente et en cul-de-sac.

Vías y construcciones coloniales, sencillas unas, elegantes otras, en tonos pastel o en colores vivos; paredes gruesas y ventanas pequeñas para defenderse del calor.

Colonial roads and buildings, some simple, others elegant, in pastel shades or bright colours, and thick walls and small windows to provide protection from the heat.

Rues et maisons coloniales, les unes modeste, les autres élégantes, aux couleurs claires ou vives, murs épais et petites fenêtres pour se protéger de la chaleur.

Callejones pintorescos que entre tapia y tapia permiten el paso refrescante del viento y prodigan al entorno arquitectónico un halo de misterio a este puerto pesquero y ganadero.

Picturesque alleyways between adobe walls welcome the refreshing breeze and give the architectural surroundings in this fishing and cattle port an air of mystery.

Ruelles pittoresques qui, d' un mur à l' autre, permettent le souffle d' un vent rafraichissant et jettent un voile de mystère sur l' atmosphère de ce port.

Salamina

Fundado en 1825, en la zona cafetera del departamento de Caldas, a 75 km de Manizales y 348 de Bogotá. Se caracteriza por el colorido de sus puertas y ventanas y la obra de madera de las mismas. Tiene 20.300 habs. y temperatura de 19 °C (66 °F).

Founded in 1825 in the coffee region, in Caldas province, 75 km. from Manizales and 348 km. from Bogotá. It is noted for its colourful doors and windows and the woodwork on these. It has 20,300 inhabitants and an average temperature of 19°C (66°F).

En haut de la cordillère Centrale colombienne, dans la région de culture de café dans le département de Caldas. A 75 km de Manizales et 348 km de Bogotá. Se distingue par la couleur de ses portes et fenêtres en bois. 20 300 habitants. Température moyenne : 19 °C (66 °F).

Salamina CALDAS

La arquitectura antioqueña se destaca en el conjunto de casas de bahareque, con tejas de barro y aleros amplios sobre las calles inclinadas, y en los patios cargados de plantas y flores. Derecha: el quiosco del Parque Bolívar, construido en cemento, réplica del original en madera.

Typical Antioquia architecture can be seen in the adobe houses with clay tiles and broad eaves that overhang the steep streets, and in courtyards full of plants and flowers. Right: The bandstand in Bolívar Park, made of cement, is a replica of the original wooden one.

L' architecture d'Antioquia se distingue par l' ensemble de maisons en matériaux anciens, avec des tuiles en terre cuite, de larges auvents sur les rues en pente et dans les cours intérieures ornées de plantes et de fleurs. A droite: le kiosque du Parc Bolivar, construit en ciment, réplique de l'original en bois.

Esquinas y calles muestran el repertorio de obras en madera: portones adornados con incrustaciones barrocas, contraportones, puertas, ventanas y balcones con calados y tallas. A ello se suman los aldabones, verdaderas obras de arte.

Streets and corners display a whole repertoire of works in wood: doorways adorned with baroque incrustations, inner doors and gates, and windows and balconies with fretwork and carvings. Also, doorknockers that are true works of art.

Coins de rues et ruelles montrent la variété de constructions en bois : portails décorés d'incrustations baroques, portes, fenêtres et balcons en bois travaillé. S'y ajoutent les heurtoirs de portes, véritables œuvres d'art.

Aguadas CALDAS

Aguadas

En el departamento de Caldas, es conocido como la ciudad de las brumas, por su constante niebla. Famoso por los sombreros aguadeños (de iraca). Su centro histórico es monumento nacional. Lugar de paso y hospedaje de los arrieros de la colonización antioqueña.

In Caldas province and known as the city of fogs, because it is constantly shrouded in mist. Famous for its iraca-palm hats. Its historic centre is a National Monument. Overnight stopping-off place for muleteers when Antioquia was being settled.

Dans le département de Caldas, réputée comme étant la ville des brumes à cause du brouillard constant. Célèbre pour ses chapeaux de paille (iraca). Son centre historique a été déclaré Monument National. Lieu de passage et d'hébergement des muletiers de la colonisation d'Antioquia.

96

Aguadas CALDAS

Se caracteriza por su topografía quebrada, las coloridas y sencillas fachadas de las viviendas y sus extensos paisajes. Con clima templado dada la variedad de pisos térmicos que van del cálido al páramo. Fundado en 1808, tiene 22.000 habs. y dista 129 km de Manizales.

Noted for its rugged terrain, the simple but colourful façades of its houses, and its sweeping views. Temperate climate, given the variety of climate levels in it, from hot to moorland. Founded in 1808, it has 22,000 inhabitants and is 129 km. from Manizales.

Se distingue par sa topographie accidentée, les façades simples et pleines de couleurs de ses maisons et ses paysages à perte de vue. Climat tempéré vu la variété d' étapes thermiques depuis les terres chaudes jusqu'au « Paramo » (en altitude et très froid). Fondé en 1808 22 000 habitants, à 129 km de Manizales.

Aguadas CALDAS

Aguadas es un pintoresco poblado típico, en el corazón de Colombia, donde se conservan las tradiciones y costumbres del pueblo paisa (nombre con el que se denomina a los antioqueños). Reúne lo natural, histórico, artesanal y fiestero.

Aguadas is a typical, picturesque town in the heart of Colombia, where *Paisa* (referring to the people of Antioquia) customs and traditions survive. It is a blend of nature, history, handicrafts and festivity.

Aguadas est un village pittoresque au cœur de la Colombie. On y conserve les traditions et coutumes des « paisas » (gens d' Antioquia). Il réunit le naturel, l'historique, l' artisanal et les fêtes.

El templo de la Inmaculada Concepción, obra ecléctica de mezcla renacentista y romántica en la decoración interna y externa. Tiene vitrales, mosaicos, imágenes religiosas y cuadros de valor artístico y religioso de 1700 y 1800.

Church of the Immaculate Conception, an eclectic work whose internal and external decoration is a mixture of Renaissance and romantic: stained-glass windows, mosaics, religious images and paintings with an artistic and religious value dating from between 1700 and 1800.

L' Eglise de l' Immaculée Conception, œuvre éclectique : mélange de style Renaissance et Époque Romantique dans la décoration de l' intérieur et l' extérieur. Elle possède des vitraux, mosaiques, images religieuses et toiles de valeur artistique et religieuse entre 1700 et 1800.

Santa Fe de Antioquia

Fundado en 1541 por el mariscal Jorge Robledo, en el valle del río Tonusco, cerca del río Cauca. Fue capital de Antioquia hasta 1826, cuando pasó a serlo Medellín. A 67 km de esta, tiene 22.903 habs. y una temperatura de 28 °C (82 °F). Izquierda: fachada del Palacio Consistorial.

Founded in 1541 by Martial Jorge Robledo in the Tonusco valley, near the River Cauca. It was the capital of Antioquia province until 1826, when Medellín replaced it. It is 67 km. from Medellín, and has 22,903 inhabitants and an average temperature of 28°C (82°F). Left: façade of the Consistorial Palace.

Fondé en 1541 par le Maréchal Jorge Robledo, dans la vallée de la rivière Tonusco, près du fleuve Cauca. A été la capitale d'Antioquia jusqu'en 1826 lorsque Medellin l'a remplacée. A 67 km de Medellin. 22 903 habitants. Température moyenne : 28 °C (82 °F). A gauche : façade du palais consistorial.

Sucesión de fachadas en cal y ladrillo a la vista, portones españoles y calados antioqueños, calles empedradas, mezcla de casas principales de uno o dos pisos con casas sencillas. No deje de probar allí el jugo de tamarindo.

Succession of lime and brick façades, Spanish gateways and Antioquia fretwork, cobbled streets, and a mixture of one- or two-storey large houses and simple ones. Don't fail to drink the tamarind juice there.

Série de façades peintes à la chaux et vue de portails espagnols, travaux en bois d' Antioquia, rues pavées, on y observe de grandes maisons plain-pied ou à étage et des maisons modestes. Ne pas oublier de goûter le jus de tamarindo (fruit tropical).

Santa Fe de Antioquia ANTIOQUIA

Puente colgante de Occidente sobre el río Cauca. Monumento nacional diseñado y construido en 1890 por el ingeniero José María Villa, que también participó en la construcción del de Brooklyn, Nueva York, y de otros en Colombia. Arriba: basílica metropolitana de la Inmaculada Concepción erigida en 1837.

Occidente suspension bridge over the River Cauca, a National Monument designed and built in 1890 by engineer José María Villa, who also took part in building Brooklyn Bridge, in New York, and others in Colombia. Above: Metropolitan Basilica of the Immaculate Conception, built in 1837.

Pont suspendu de l' Ouest sur le fleuve Cauca, Monument National construit en 1890 par l' ingénieur José Maria Villa qui a aussi participé à la construction du Pont de Brooklyn à New York et d' autres en Colombie. En haut : Basilique Métropolitaine de l' Immaculée Conception construite en 1837.

La huella de las colonizaciones española y antioqueña se advierte en la arquitectura y en las obras de madera. El repertorio de fachadas, casi todas en ladrillo, invitan a entrar a sus zaguanes y patios e interiores.

The mark left by Spanish and Antioquia settlers can be seen in the architecture and woodwork. The variety of façades, almost all in brick, are an invitation to enter their hallways, courtyards and interiors.

Les traces de la colonisation d'Espagne et d'Antioquia se remarquent dans les constructions en bois. L'ensemble de façades, presque toutes en brique, invitent à entrer dans leurs couloirs et cours intérieures.

Jericó

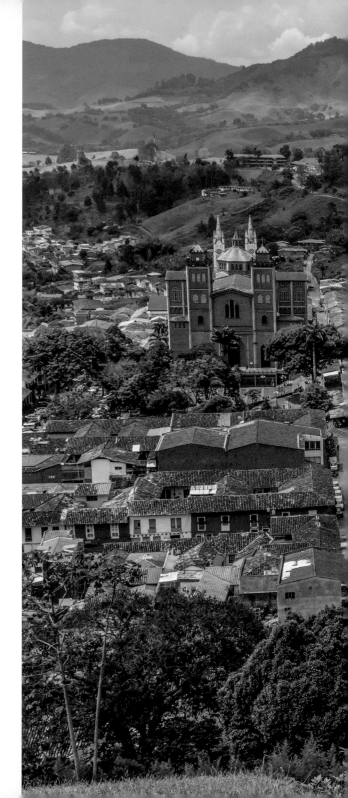

Situado en las montañas del suroeste antioqueño; hoy en día reconocido por ser la cuna de la santa madre Laura Montoya y un centro de arte y cultura. Allí se elaboran los carrieles, novedoso tipo de bolso o cartera de cuero, de uso masculino y campesino desde la Colonia, que ya se ofrecen en modernos diseños, para hombres y mujeres.

Situated in the mountains in southwest Antioquia, today it is renowned for being the birthplace of Saint Laura Montoya and an art and culture centre. It is where *carriels* are made, a novel type of leather shoulder bag that has been worn by men and peasants since the colonial era and which is today sold with modern designs for both men and women.

Situé dans les montagnes du sud-est de la région, aujourd'hui célèbre pour être la ville natale de Sainte Laura Montoya et un centre d'art et culture. On y fabrique les « carriels », sacs typiques en cuir et peau de vache utilisés par les hommes et muletiers depuis la Colonie qui sont maintenant proposés en version moderne pour hommes et femmes.

Fundado en 1850, a 104 km de Medellín, cuenta con 12.800 habs y una temperatura de 19 °C (66 ° F). La gama de fachadas, en diferentes alturas y proporciones, armonizan con su quebrada topografía. La madera y la forja, a su vez, muestran creativos diseños.

It was founded in 1850, 104 km. from Medellín, and has 12,800 inhabitants and an average temperature of 19 °C (66 °F). The variety of façades of different heights and proportions blend with the rugged terrain. Creative designs are also evident in the wood and iron work.

Jericó, à 104 km de Medellin. 12 800 habitants. Température moyenne : 19 °C (66 ºF). L'ensemble de façades, de différentes tailles et proportions se marie avec la topographie accidentée. Le bois et la forge à son tour témoignent d'une imagination créatrice.

115

Puertas, ventanas, balcones y zócalos coloridos; mezcla de calles planas y empinadas; tiendas y bares. El Jardín Botánico, el ecoparque Las Nubes y la vista desde el morro El Salvador o en el cable aéreo son parte de los atractivos locales.

Colourful doors, windows, balconies and bases, a mixture of flat and steep streets, and shops and bars. The Botanical Gardens, Las Nubes ecopark, and the view from El Salvador Hill or on the aerial cableway are all part of the local attractions.

Portes, fenêtres, balcons, places et soubassements pleins de couleurs, des rues plates et en pente, boutiques et bars. Le jardin botanique, le parc écologique Les Nuages et la vue depuis Morro Le Sauveur ou le cable aérien sont quelques unes des attractions locales.

Calle por calle, innumerables detalles muestran la intervención de cada propietario en el contrastante colorido de casas y establecimientos. Es un disfrute caminar el pueblo y recorrer los alrededores de flora exótica y exuberante.

On every street, countless details illustrate how each owner has contributed to the contrasting colours of houses and establishments. Walking through the town is a joy, as is seeing the exotic, lush vegetation in the surrounding area.

Rue par rue, d'innombrables détails montrent la participation de chaque habitant dans les couleurs variées des maisons et commerces. Il est très agréable de se promener dans le village et d'observer les alentours foisonnant de fleurs exotiques et exubérantes.

Jardín ANTIOQUIA

Jardín

Jardín es alegría, fiesta y naturaleza. Su nombre viene del entorno agreste, con yarumos blancos, cañaduzales, árboles frutales y riachuelos. Se levantó en 1871 en zona montañosa del suroeste antioqueño, a 134 km de Medellín. Tiene 14.500 habs y temperatura de 19 °C (66 °F).

Jardín is happiness, festivities and nature. Its name comes from its rugged surroundings, with white pumpwood trees, sugar cane plantations, fruit trees and streams. It was built in 1871 in a mountainous area in southwest Antioquia, 134 km. from Medellín. It has 14,500 inhabitants and an average temperature of 19 °C (66 °F).

Jardín est synonyme de joie, fête et nature. Il tire son nom de son environnement agreste : « yarumos » blancs (arbres tropicaux), champs de canne à sucre, arbres fruitiers et petits ruisseaux. Fondé en 1871 dans une zone montagneuse du sud est d'Antioquia. A 134 km de Medellin. 14 500 habitants. Température moyenne : 19 °C (66 °F).

120

La basílica menor de la Inmaculada Concepción, de piedra volcánica, en uno de los costados del Parque El Libertador. En este, llama la atención el Monumento a la Madre. El conjunto del parque y el templo, es monumento nacional.

The basilica of the Immaculate Conception, made of volcanic stone, stands on one side of El Libertador Park. The Monument to the Mother is a notable feature. The park and the church are a National Monument.

La petite basilique de l' Immaculée Conception en pierre volcanique, se trouve sur l'un des côtés du parc du Libertador qui comporte aussi le Monument à la Mère. L' ensemble parc et église a été déclaré Monument National.

Jardín ANTIOQUIA

Sillas de cuero de variados colores y diseños crean la diferencia en cada establecimiento de la plaza. Es costumbre recostarse contra las paredes, reposar y balancearse en ellas. La talabartería forma parte de los trabajos y manualidades del lugar.

Leather chairs of various colours and designs differentiate between each establishment in the square. It's the custom to lean against the walls and balance on them. Saddlery is an important handicraft there.

Chaises en cuir de plusieurs styles et couleurs marquent la différence dans chaque restaurant au bord de la place. Les gens ont l'habitude de se balancer sur leurs chaises contre le mur. La sellerie fait partie des activités manuelles de cet endroit.

Arriba: en los alrededores se encuentra la garrucha, medio de transporte que se desplaza por cable sobre un bello paisaje de cultivos de café, plátano y hortalizas. El recorrido termina en Filo de Oro, desde donde se aprecia una panorámica del pueblo.

Above: Nearby is the pulley, a cable-hauled means of transport that crosses a beautiful landscape of coffee, plantain and vegetable crops. The journey ends at the Filo de Oro, from where there is a panoramic view of the town

En haut : aux alentours, on trouve «la garrucha » cable de transport au dessus d' un beau paysage de cultures de café, bananes et légumes. Le parcours se termine à Filo de Oro (Fil d'Or) d'où l'on peut apprécier une vue panoramique du village.

Buga

En el Valle del Cauca, Buga es famoso por la basílica del Señor de los Milagros, donde van peregrinos del mundo. Posee arquitectura colonial y moderna. Es un polo de desarrollo regional. A 62 km de Cali, 117.000 habs. y temperatura promedio de 26 °C (78 °F). Fundación oficial: 1573.

Buga, a regional development centre in Valle del Cauca, is famous for its Basilica of the Lord of Miracles, which pilgrims flock to from all over the world. It boasts colonial and modern architecture. Situated 62 km. from Cali, it has 117,000 inhabitants and an average temperature of 26 °C (78 °F). Officially founded in 1573.

Dans la Vallée du Cauca, Buga est célèbre pour sa Basilique du Seigneur des Miracles où se rendent des pèlerins du monde entier. Doté d'une architecture coloniale et moderne, pôle de développement régional. A 62 km de Cali. 117 000 habitants. Température moyenne : 26 ºC (78 ºF).

La basílica, localizada en la plazoleta de Lourdes, de estilo neorrománico, fue construida en 1907 con muros macizos de ladrillo y argamasa. Al lado sur se encuentra el convento de los padres redentoristas y la torre de la ermita vieja.

The neo-Romanesque basilica, on Lourdes Square, was built in 1907 with solid brick and mortar walls. On the south side are the Monastery of the Redemptorist Fathers and the tower of the old hermitage.

La Basilique, sur la Place de Lourdes, de style néoromantique a été construite en 1907 en murs massifs de brique et mortier. Sur le côté, se trouve le Couvent des moines Rédempteurs et la tour du vieil hermitage.

La Academia de Historia "Leonardo Tascón", en una hermosa casa de estilo colonial del siglo XVIII, contiene bibliotecas con algunos incunables, archivos fotográfico, musical e histórico y piezas precolombinas.

The Leonardo Tascón Academy of History, in a beautiful, 18th-century colonial house, contains libraries with some incunabula, photographic, musical and historic archives, and pre-Columbian artefacts.

L' Académie d' Histoire « Leonardo Tascon» dans une belle maison de style colonial du XVIIIéme siècle contient des bibliothèques abritant des incunables, des archives photographiques, musicaux, historiques ainsi que des objets précolombiens.

132

Fotógrafos

Germán Montes
Barichara, Socorro, Girón, Villa de Leyva, Monguí, Guaduas y Honda

Carlos Jorge Vega
Playa de Belén, Página 52

Viva la Stock
Playa de Belén, Página 50

Antonio Castañeda
Playa de Belén, Página 54

Darío Eusse
Salamina, Aguadas, Santa Fe de Antioquia, Jericó y Jardín

Armando Rojas
Buga

Manuel Varona
Buga, página 128

Javier Bernal
Mompox

Olga Lucía Jordán
Mompox, Página 12 (abajo)

Joaquín Sarmiento
Lorica y Ciénaga

Los 17 Pueblos más Lindos de Colombia

Magdalena
- Ciénaga

Bolívar
- Mompox

Córdoba
- Lorica

Norte de Santander
- Playa de Belén

Antioquia
- Santa Fé de Antioquia
- Jericó
- Jardín

Santander
- Barichara
- Socorro
- Girón

Caldas
- Salamina
- Aguadas

Boyacá
- Monguí
- Villa de Leyva

Cundinamarca
- Guaduas

Valle del Cauca
- Buga

Tolima
- Honda

Ilustraciones: Gabriela Franco Prieto

Una publicación de Somos Editores Ltda.
Carrera 7 No. 85 - 40 oficina 902 Teléfono (57-1) 256 5473
Bogotá - Colombia
Primera edición septiembre de 2016
Segunda edición marzo de 2017